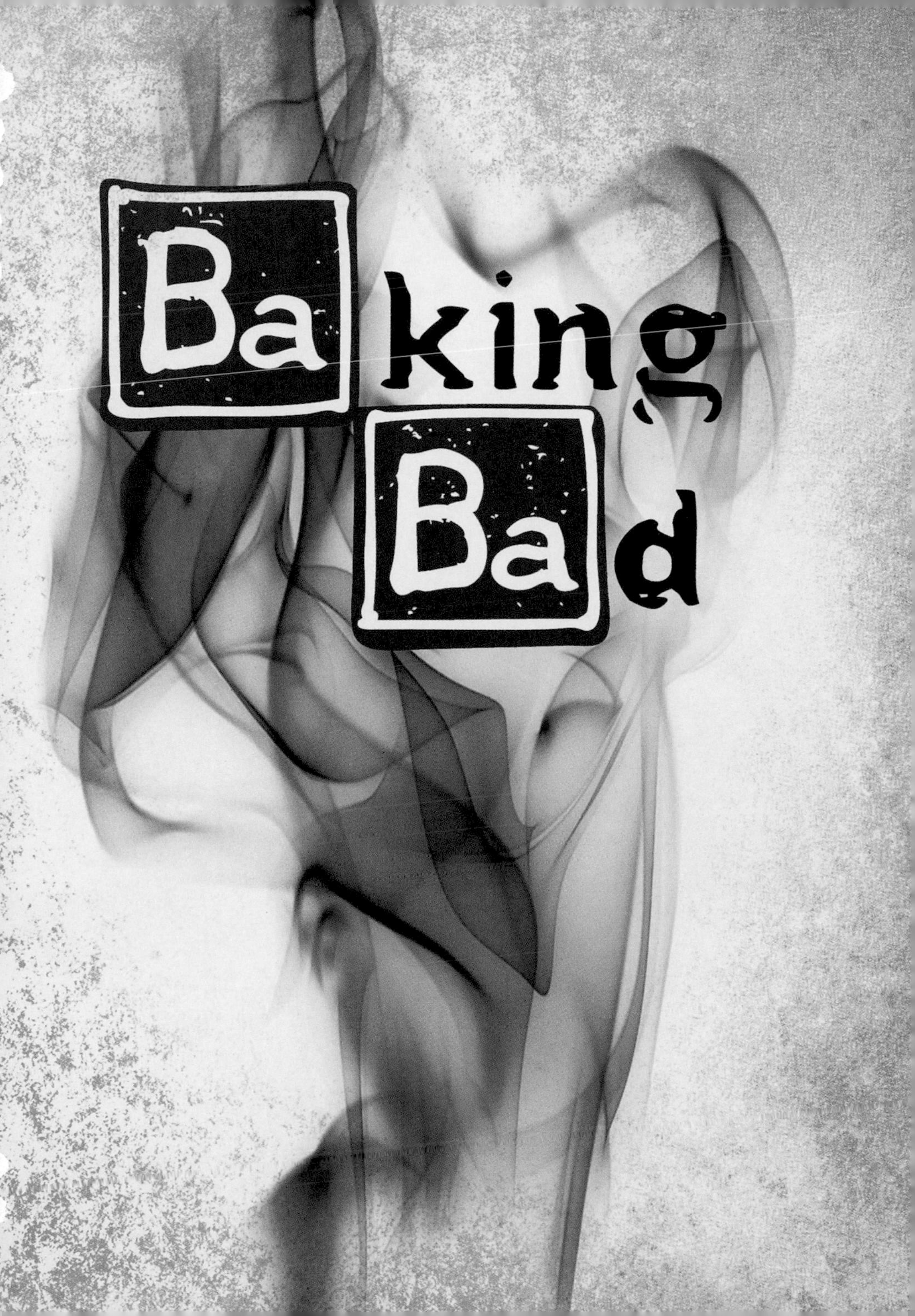
Baking
Bad

14 bakeries between Nevada and Albuquerque

Hiding in plain sight since 1989!

Baking Bad

Grandes recetas sin cristal azul

Walter Wheat

Hojas de hierba.

PARA J.S.

ES UN HONOR
TRABAJAR CONTIGO.
CON CARIÑO,

W.W.

ÍNDICE

Introducción. Yo soy quien cocina   1
Sin medias tintas   3
¿Cuál es tu nivel de pureza?   4

1.ª TEMPORADA

Gayumbitos blancos del señor White   10
Crujiente de meta azul   14
Bañera de gelatina ácida de Jesse   18
Sándwich sin *korteza* de Loko-8   22
Magdalenas ligeras de Skinney Pete   26

2.ª TEMPORADA

Ositos rosas recurrentes   32
Krispielementos de ricina   36
El especial de Tuco   40
Schraderbraunies   46
Tarta de tortuga   50

3.ª TEMPORADA

Perrito *kosher* de Saul   58

Metalenas   62

Tarta Heisen(batten)burg   66

4.ª TEMPORADA

Hombrecito degollado   72

Los dedos ligeros de Marie   76

Palitos de Fring   82

5.ª TEMPORADA

Plato de cumpleaños de Walt   88

Chapuzón nocturno de Skyler   92

Tronco de chocolate de Huell   98

Los barriles del desierto de Walt   102

La banda del tío Jack   106

Taza de Stevia   110

INTRODUCCIÓN

YO SOY QUIEN COCINA.

¿Con quién te crees que estás hablando? ¿De quién crees que es esta voz? ¿Sabes cuántas magdalenas puedo hornear en un año? ¡Tan increíblemente ligeras y deliciosas como para perder la cabeza! Aunque te lo dijera, no me creerías. ¿Sabes lo que sucedería si de pronto dejara de cocinar? Que un gran imperio se iría al garete. ¡Desaparecería! Sin mí, dejaría de existir toda esa deliciosa repostería. No, está claro que no sabes con quién estás hablando. Deja que te lo aclare. Un tipo abre su puerta para recibir una bandeja de galletas recién salidas del horno. ¿Qué te crees, que soy yo? No. Yo soy quien cocina.

SIN MEDIAS TINTAS

Si de verdad quieres entrar en el negocio,
vas a necesitar esto...

¿CUÁL ES TU NIVEL DE PUREZA?

Hay mucho material ahí fuera, pero solo podrás reunir el dinero necesario para mantener a tu familia con la mercancía azul más pura.

Sin embargo, no todo el mundo empieza siendo un Heisenberg. Utiliza este código para descubrir tu nivel de repostería. A menor porcentaje, más fácil la receta.

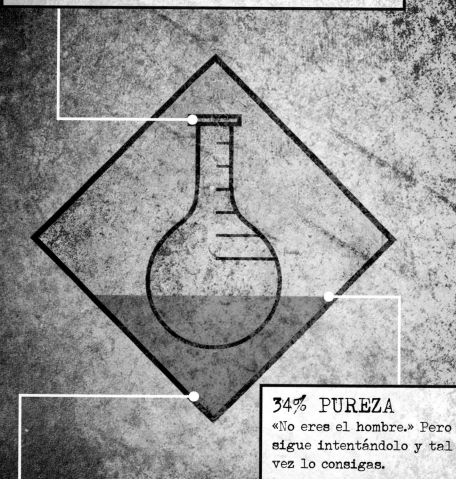

98% PUREZA
«Di mi nombre.» Eres una leyenda entre los reposteros. Tu producto es tan azul que el público pagará lo que sea por él.

34% PUREZA
«No eres el hombre.» Pero sigue intentándolo y tal vez lo consigas.

7% PUREZA
«Eres un loco degenerado y mereces morir.»

1.ª TEMPORADA

GAYUMBITOS BLANCOS DEL SEÑOR WHITE

44% PUREZA

¿Quién hubiera dicho que unos gayumbitos blancos y una camisa verde pudieran tener tan buen aspecto? Son los inicios (hasta puede que se trate de tu receta «piloto»), de manera que estas deliciosas galletas son dulces e inocentes, pero, si les das tiempo, se convertirán en algo mucho más oscuro y más complejo.

INGREDIENTES

PARA LA GALLETA DE JENGIBRE:

350 g de harina normal
2 cucharaditas (10 ml) de levadura en polvo
2 cucharaditas (10 ml) de jengibre en polvo (o más, al gusto)
100 g de mantequilla fría
150 g de azúcar moreno
3 cucharadas (45 ml) de sirope dorado
1 huevo mediano
Un poco de harina para espolvorear

PARA LA DECORACIÓN:

Fondant blanco, *fondant* negro
1 huevo mediano
500 g de azúcar glas, en polvo. ESTO (pausa dramática) no es cristal
Colorante alimentario verde en gel
Vas a necesitar un molde para galletas de jengibre.

DOSIS: 6 PERSONAS

INSTRUCCIONES

«Tenemos que cocinar...»

1. Quítate la ropa buena. No puedes volver a casa oliendo a pastelería.

2. Precalienta el horno a 200 °C, a 185 °C si tiene ventilador o en la posición 6 si es de gas. Engrasa dos bandejas de horno o cúbrelas con papel de hornear.

3. Vierte la harina, la levadura y el jengibre en un cuenco y mezcla bien. Corta la mantequilla en pedazos pequeños y mézclala con la harina utilizando los dedos hasta que parezcan migas de pan.

4. Añade el azúcar, el sirope y el huevo y bate hasta formar una masa. Mete la mezcla en una bolsa de plástico y refrigera durante una hora.

5. Vuelve a comprobar que no te has dejado las llaves en la autocaravana. Menuda faena.

6. Extiende la masa sobre una superficie espolvoreada con un poco de harina. Corta las galletas con el molde y colócalas en la bandeja. Hornea durante 10-12 minutos o hasta que se doren los bordes. Retira las galletas del horno para que se enfríen y solidifiquen.

7. Extiende el *fondant* negro y blanco sobre una superficie espolvoreada con un poco de azúcar glas y corta la forma de las mascarillas y los calzoncillos.

8. Pon la clara del huevo en un cuenco y bate suavemente con un tenedor. Añade el azúcar glas poco a poco, espolvoreando con una cuchara de madera hasta que adquiera la textura y la consistencia deseadas. Divide en tres partes.

9. Pega los calzoncillos blancos sobre las galletas con un poco de agua. Rellena una manga pastelera de boquilla normal con cobertura blanca y añade los detalles de los calzoncillos.

10. Tiñe la misma cantidad de cobertura de color verde claro y traza el contorno de la camisa. Deja que se seque. Añade unas gotas de agua a la cobertura verde claro para darle una consistencia más líquida y deposítala cuidadosamente sobre el contorno de la camisa con una cuchara, y únela a los bordes con un pincel fino. Deja que se seque.

11. Tiñe el resto de cobertura de verde oscuro y añade los detalles de la camisa con la manga pastelera. Pega las piezas de la mascarilla a la cabeza con un poco de agua.

12. Ármate con una pistola automática de calibre 45 y prepárate para lo que venga de esa colina.

CRUJIENTE DE META AZUL

20% PUREZA

También llamado «cristal azul», «caramelo loco», «subidón de azúcar»... El nombre es lo de menos: no serás un auténtico cocinero hasta que no sepas preparar este clásico.

INGREDIENTES

Media taza (118 ml) de agua
3/4 taza (177 ml) de jarabe de maíz claro
No uses guindilla en polvo. Es de aficionados
350 g de azúcar granulado
2 cucharaditas (10 ml) de extracto de menta
Colorante alimentario azul en gel
Vas a necesitar un termómetro de azúcar.

DOSIS: 5 PERSONAS

INSTRUCCIONES

1. Cubre la bandeja del horno con papel de aluminio, o usa una bandeja de cristal resistente al calor. Rocía de aceite para que no se pegue.

2. Búscate un cómplice aceptable. Los exalumnos fracasados son una buena opción, aunque tengan una mente frágil.

3. Mezcla el agua, el jarabe de maíz y el azúcar en una sartén mediana. Remueve a temperatura media hasta que se disuelva el azúcar, y sube el fuego hasta que hierva. Deja de remover, introduce el termómetro y humedece los bordes de la sartén con un pincel de repostería empapado en agua (así evitamos que cristalice).

4. Calienta la mezcla hasta alcanzar una temperatura de 140° C. Retira la sartén del fuego inmediatamente y saca el termómetro. Deja reposar hasta que la superficie deje de burbujear.

5. En algún momento, necesitarás un distribuidor. Pero no te preocupes por eso ahora.

6. Añade unas gotas de aroma de menta y suficiente colorante azul para alcanzar el tono adecuado de meta azul.

7. Vierte la mezcla rápidamente en la bandeja de horno y extiéndela hacia ambos lados con un movimiento. No te preocupes si no queda del todo uniforme o si quedan huecos. Deja que el caramelo se enfríe a temperatura ambiente.

8. Cuando el caramelo esté frío, rómpelo con un martillo. Introdúcelo en bolsitas de plástico o sírvelo tal cual, lo que prefieran tus clientes.

BAÑERA DE GELATINA ÁCIDA DE JESSE

77% PUREZA

¿Cómo dices? ¡¿UNA BAÑERA?! Sí, esta receta levanta polémica. Así que más te vale aceptar la sangre o irte a hacer una tartita de fresa.

INGREDIENTES

Plástico. El plástico no puede faltar
275 g de pepitas (u onzas) de chocolate blanco
270 g de gelatina de frambuesa
1 bolsa de chucherías en forma de partes del cuerpo
Un poco de *fondant* blanco
Te hará falta un molde de silicona rectangular.

DOSIS: 8 PERSONAS

INSTRUCCIONES

1. Echa a suertes quién va a encargarse de esto.

2. Funde el chocolate muy despacio al baño María, con cuidado de que no se caliente demasiado (el chocolate caliente puede apelmazarse muy rápido).

3. Aplica una fina capa de chocolate en el interior del molde con un pincel de repostería. Refrigera durante unos diez minutos hasta que endurezca.

4. Aplica una segunda capa de chocolate; refrigera y repite las veces que sea necesario hasta obtener una pared sólida de chocolate.

5. Refrigera durante al menos una hora, y separa con cuidado el molde de la bañera de chocolate.

6. Prepara la gelatina como indiquen las instrucciones de la caja. Refrigera la gelatina hasta que esté fría, pero no sólida, y viértela con suavidad sobre la bañera de chocolate.

7. Dale forma de grifo al *fondant* y pégalo al borde de la bañera con un poco de chocolate fundido. Añade las chucherías en forma de partes del cuerpo. Coloca la bañera en un plato grande y rómpela antes de servir.

8. Para disfrutar en la planta de arriba, en la de abajo, o en ambas.

SÁNDWICH SIN
KORTEZA DE LOCO 8

58% PUREZA

Esta receta es una prueba para que demuestres de lo que eres capaz. Llegado el momento, ¿podrás tomar las medidas necesarias? ¿O permitirás que tu debilidad humana se interponga entre ti y tu leyenda repostera?

INGREDIENTES

Te harán falta un sótano y un candado de bici.

PARA EL PLATO:

1 paquete de pasta de azúcar lista para usar
Colorante alimentario amarillo en gel
Azúcar glas para espolvorear

PARA EL SÁNDWICH:

275 g de harina normal y un poco más para espolvorear
200 g de mantequilla sólida
100 g de azúcar glas
2 yemas de huevo mediano
1-2 cucharaditas (5-10 ml) de extracto de vainilla
Gelatina de fresa
Helado de mantequilla de cacahuete
Necesitarás 2 platos para hacer el molde.

DOSIS: 2 PERSONAS

INSTRUCCIONES

1. Antes de preparar esta receta, puede ser buena idea escribir una lista de pros y contras.

2. Añade colorante alimentario amarillo en gel a la pasta de azúcar, poco a poco, y amásala bien hasta obtener un resultado amarillo uniforme.

3. Extiende la pasta sobre una superficie ligeramente espolvoreada de azúcar glas formando un círculo un poco más grande que los platos. Espolvorea un poco de azúcar sobre un plato y cúbrelo con la pasta. Espolvorea la parte inferior del segundo plato y prénsalo sobre la pasta hasta darle forma.

4. Retira el plato superior y recorta el exceso de los bordes. Recorta grietas en el plato de pasta, tal y como se indica en la imagen, y vuelve a darle forma. Deja que se seque y solidifique durante unas cuantas horas.

5. Coloca la harina en un cuenco y corta la mantequilla en trozos pequeños. Mezcla la mantequilla y la harina con los dedos hasta que parezcan migas de pan.

6. No olvides cortar SIEMPRE la corteza. Eso es lo que vas a hacer a partir de ahora.

7. Añade el azúcar, las yemas y el extracto de vainilla y bate la mezcla con una cuchara de madera hasta formar una masa. Coloca la masa en una bolsa de plástico y refrigera al menos treinta minutos.

8. Extiende la masa formando una capa gruesa sobre una superficie espolvoreada con un poco de harina y corta un cuadrado. Se trata de él o de tu familia. Tú eliges.

9. Unta la masa con gelatina de fresa y helado de mantequilla de cacahuete. Corta en diagonal y une las mitades para formar un sándwich.

10. Olvida todo lo que sabías sobre la compasión y la humanidad, y hazlo.

11. Retira los pedazos de plato con delicadeza del molde y colócalos en una fuente para servir. Deposita el sándwich de masa de galleta encima.

12. Enhorabuena; ya no hay marcha atrás. A partir de ahora estarás separado para siempre de la mayoría de los pusilánimes sin ambición, condenado a caminar en soledad por un mundo de sombras.

MAGDALENAS LIGERAS DE SKINNEY PETE

34% PUREZA

¡Eh, tú! ¿Quieres producir pasteles en grandes cantidades, a la vez que te forras, y cuidar la línea al mismo tiempo? Pues no busques más...

INGREDIENTES

PARA LAS MAGDALENAS:

1 huevo
2 cucharadas (30 ml) de aceite vegetal
150 ml de leche desnatada y eso
100 g de margarina baja en grasas, fundida
250 g de harina normal
3 cucharadas (45 ml) de azúcar extrafino
2 cucharaditas (10 ml) de levadura
Una pizca de sal

PARA LA COBERTURA:

100 g de margarina baja en grasas, colega
200 g de azúcar glas
2 cucharadas (30 ml) de cacao en polvo (no te lo esnifes o creerás que te han hervido la cabeza con... napalm)
Un poco de leche desnatada
Colorante alimentario negro en gel
1 hoja de papel de arroz
1 rotulador comestible

DOSIS: 6 PERSONAS

INSTRUCCIONES

1. Calienta el horno a 200°C, a 185°C si tiene ventilador o en la posición 6 si es de gas. Coloca 12 cápsulas de papel en un molde de metal para 12 magdalenas.

2. Bate el huevo en un cuenco, y mézclalo con el aceite y la leche. Mezcla la margarina fundida y todos los demás ingredientes hasta que la harina se absorba, pero que aún queden grumos. No te pases batiendo. Rellena las cápsulas hasta dos tercios con la mezcla.

3. Introduce las magdalenas en el horno precalentado durante 20-25 minutos, o hasta que suban y queden doradas por arriba. Deja que se enfríen.

4. Corta dos de las magdalenas en conos para cubrir el resto como si fuera el gorro de Pete.

5. Ablanda la margarina en un cuenco y después añade el azúcar glas y el cacao poco a poco, junto con un poco de leche. Bate hasta que adquiera una consistencia ligera y esponjosa. Añade colorante negro, poco a poco, cuanto sea necesario, mezclando bien. (Tío, es un programa de doce pasos, y tú aún estás en el quinto.)

6. Dibuja tatuajes en el papel de arroz con el rotulador comestible y recorta las formas. Cubre las magdalenas con cobertura negra y dales textura con la punta de un tenedor. Coloca los tatuajes sobre cada sombrero.

7. ¡Listo para vender tus magdalenas, tío! (Los centros de venta más obvios son los mercados de repostería y las reuniones de Alcohólicos Anónimos.)

2.ª TEMPORADA

OSITOS ROSAS RECURRENTES

¿Por qué están aquí? ¿Qué **significan**? Reflexiona sobre este misterio o cómetelos; eso es cosa tuya.

INGREDIENTES

PARA LAS GALLETAS:

75 g de harina normal y un poco más para espolvorear
200 g de mantequilla fría
100 g de azúcar glas
2 yemas de huevo mediano
1-2 cucharaditas (5-10 ml) de extracto de vainilla
Solo tienes que buscar bien y verás que tienes todos los ingredientes.

PARA LA COBERTURA:

200 g de azúcar glas
Agua tibia
Colorante alimentario rosa en gel

PARA LOS OJOS:

50 g de cobertura de *fondant* blanca
Rotulador comestible de color negro
Cualquier simbolismo relacionado con la moral y la corrupción.

DOSIS: 5 PERSONAS

INSTRUCCIONES

1. Engrasa dos bandejas de horno o cúbrelas con papel antiadherente.

2. Coloca la harina en un cuenco y corta la mantequilla en trozos pequeños. Bate hasta que parezcan migas de pan. Presta mucha atención o, por el contrario, inventa alguna teoría que incluya palabras como «ominoso» y «trivialidad», y publícala en Internet.

3. Añade el azúcar, las yemas y el extracto de vainilla y bate la mezcla hasta formar una masa. Coloca la masa en una bolsa de plástico y refrigera al menos treinta minutos.

4. Precalienta el horno a 200°C, a 185°C si tiene ventilador o en la posición 6 si es de gas.

5. Extiende la masa sobre una superficie espolvoreada con un poco de harina y recorta los osos con un cuchillo afilado o cúter. Hornea durante 8-10 minutos. Deja que se enfríen un par de minutos antes de colocarlos sobre una fuente para que se enfríen y se endurezcan.

6. Coloca el azúcar glas en un cuenco y mézclalo con agua tibia hasta que se forme un gel espeso. Añade colorante rosa y bate hasta que quede uniforme.

7. Extiende la cobertura sobre las galletas con el dorso de un cuchillo.

8. Dale un baño de fuego pleno de significado al lado derecho de cada osito con un mechero.

9. Haz bolitas de cobertura blanca para los ojos y pégalas sobre los osos con un poco de agua. Pinta las pupilas con el rotulador comestible de color negro.

10. Mantén conversaciones interminables con amigos tan desocupados como tú.

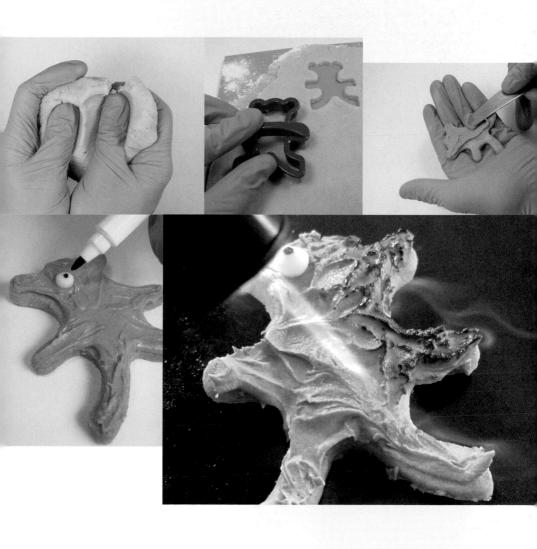

KRISPIELEMENTOS DE RICINA

25% PUREZA

¿Cómo te encuentras? ¿Un poco regular? ¿Como si tuvieras la gripe tal vez? Este delicioso dulce es justo lo que necesitas.

INGREDIENTES

Aceite para engrasar
50 g de mantequilla
300 g de nubes (malvavisco)
175 g de Rice Krispies
Colorante alimentario verde en gel
50 g de glaseado real
No se debe confundir con la receta de los «Dulcekrispies de lirio del valle», aunque sus efectos puedan ser similares.

DOSIS: 6 PERSONAS

INSTRUCCIONES

(Es posible que este plan requiera de varios intentos antes de funcionar, por lo que tendrás que ser paciente.)

1. Engrasa una bandeja de hornear de 32x23 cm con aceite.

2. Funde la mantequilla en una cacerola grande de fondo grueso a fuego lento.

3. Añade las nubes y calienta la mezcla a baja temperatura hasta que se derrita completamente, sin dejar de darle vueltas. Añade el colorante verde y mezcla bien.

4. Retira la cacerola del fuego y añade los cereales inmediatamente, mezclando con suavidad hasta que se repartan bien.

5. Vierte la mezcla sobre el recipiente metálico ya preparado, prensándola y extendiéndola hasta los bordes. Tiene que estar muy pegajosa. Aplana el exterior.

6. Mantenla fuera del alcance de los niños en todo momento (a no ser que sea absolutamente necesario).

7. Deja que la mezcla se enfríe del todo en la bandeja antes de cortar en cuadraditos.

8. Mete la cobertura en una manga pastelera con boquilla para escribir y traza las letras y contornos como se muestra en la foto.

9. Sírvela en el momento, o escóndela detrás de un enchufe.

EL ESPECIAL DE TUCO

91% PUREZA

Probablemente, el primer dulce inspirado en un narco psicópata mexicano, este delicioso postre ha de servirse en un cuenco o engullirse directamente sobre el filo de una navaja.

INGREDIENTES

Dientes de caramelo

Adhesivo comestible

Purpurina plateada comestible

Aceite para engrasar

1 paquete de gelatina en láminas

Vodka (si quieres que sea como una coz de mula en los huevos)
    o esencia de menta

Necesitarás un molde de metal cuadrado para tartas, o algo similar.

DOSIS: 2 PERSONAS

INSTRUCCIONES

1. Aplica una capa de adhesivo comestible sobre la dentadura de caramelo antes de sumergirla en la purpurina hasta cubrir toda la superficie.

2. Llena el molde de agua y mide la cantidad. Seca el molde y úntalo con un poco de aceite.

3. Prepara la gelatina siguiendo las instrucciones de la caja, solo con agua o con un chorro de vodka, pero empleando el doble de gelatina de lo habitual. Si solo usas agua, añade unas gotas de esencia de menta.

4. Asesinar de manera brutal a quien ose interrumpirte antes de deshacerte del cuerpo en una trituradora.

5. Rellena el molde hasta la mitad y métrelo en la nevera hasta que la gelatina se asiente. Después, coloca los dientes encima con cuidado. Calienta el resto de la gelatina a fuego lento, y deja que se enfríe un poco antes de verter una pequeña cantidad sobre la dentadura de caramelo. Deja que se endurezca antes de cubrir el molde de gelatina hasta arriba.

6. Refrigera en la nevera durante 3-4 horas antes de retirar del molde cuidadosamente, calentando el exterior con un paño caliente si es necesario para despegar los bordes.

7. Disfruta del resultado o regálaselo a los miembros de tu familia que trabajen en operaciones antidroga.

SCHRADERBRAUNIES

15% PUREZA

Todos hemos pasado por ello, has visto estallar una tortuga bomba con una cabeza decapitada encima y estás teniendo otro ataque de pánico. Relájate con estos D-E-A-liciosos *brownies* de cerveza, esponjosos y perfectos.

INGREDIENTES

200 ml de aceite vegetal
200 ml de cerveza negra
150 g de azúcar de caña sin refinar granulado
100 g de azúcar moreno
2 cucharaditas (10 ml) de extracto de vainilla
3 huevos medianos
75 g de cacao en polvo
100 g de harina con levadura
Una pizca de sal
Una pizca de bicarbonato

DOSIS: 10 PERSONAS

INSTRUCCIONES

1. Haz lo que tienes que hacer.

2. Precalienta el horno a 180° C, a 165° C si tiene ventilador o en la posición 4 si es de gas. Cubre una bandeja de horno de 20,32 x 25,40 cm (o de 22,86 si es cuadrada) con papel de hornear.

3. Emplea este tiempo para ir al cuarto de baño y... Un momento... ¡Eras tú todo el tiempo, hijo de perra!

4. Vuelve con propósitos renovados, mezcla los ingredientes en un recipiente grande y bátelo todo bien.

5. Vierte la mezcla en la bandeja preparada y métela en el horno. ¿Durante cuánto tiempo? Eres la persona más inteligente que he conocido, ¿y no sabes que esto lleva unos 25-30 minutos (según lo esponjosos que quieras los *brownies*)?

6. Deja que los *brownies* se enfríen en la bandeja y después dales la vuelta, córtalos en dados y sirve (a la justicia).

TARTA DE TORTUGA

98% PUREZ.

No hay nada que llame más la atención que una cabeza cortada de jamón sobre un pastel con forma de tortuga. Envía a tus invitados un mensaje que nunca olvidarán con esta explosiva tarta ideal para las fiestas.

INGREDIENTES

PARA LA TARTA:

1 informador del cártel
2 cucharadas (30 ml) de aceite de oliva
  o de girasol (y un poco más para engrasar)
1 cebolla picada
2 dientes de ajo picados
2 zanahorias en dados
1 chirivía
2 patatas medianas en dados
1 lata de maíz dulce
2 cucharaditas (10 ml) de finas hierbas secas
750 g de hojaldre preparado
1 yema de huevo para el glaseado
Sal y pimienta

Te hará falta una lata.

PARA LA CABEZA:

1 trozo grande de jamón cocido (cuanto
  más se parezca a una cabeza, mejor)
2 guindillas verdes
1 aceituna negra en rodajas
Clavos de olor
Un manojo de cilantro y otro de perejil
1 hoja de papel de arroz comestible

DOSIS: 9 PERSONAS

50

INSTRUCCIONES

1. Precalienta el horno a 200°C, a 185°C si tiene ventilador o en la posición 6 si es de gas. Calienta el aceite en una sartén grande y añade la cebolla y el ajo. Fríe a fuego lento y añade las demás verduras (excepto el maíz) y las hierbas hasta que empiecen a ablandarse. Retira del fuego y mezcla con el maíz. Sazona al gusto.

2. Extiende dos terceras partes del hojaldre en una superficie espolvoreada con un poco de harina. Engrasa un cuenco y cúbrelo con el hojaldre, prensándolo bien contra el fondo.

3. Coloca la lata en el centro del hojaldre, con la abertura para abajo. Vierte las verduras con una cuchara alrededor de la lata.

4. Jamás debiste aceptar aquel trabajo en El Paso.

5. Engrasa una hoja de papel de horno grande con aceite. Desenrolla el resto del hojaldre. Humedece los bordes del cuenco y cúbrelo con el hojaldre restante, y pellizca los bordes para sellarlo. Coloca el pastel sobre el papel de horno con cuidado. Dale forma a la cabeza de la tortuga y a las cuatro patas con trozos de hojaldre. Coloca los clavos como si fueran ojos.

6. Marca la superficie del pastel en diagonal para formar un enrejado y abre dos agujeros en la parte superior para que pueda salir el vapor. Pinta la tarta con yema de huevo. Une la cabeza y las patas con huevo o un poco de agua. Se debe hornear durante 35-40 minutos o hasta que el hojaldre suba y esté dorado.

7. Ten en cuenta que, a partir de este momento, los amigos que no pillen la referencia pueden decidir largarse a otra fiesta menos retorcida.

8. Decora el jamón con las guindillas, la rodaja de aceituna, los clavos y las hierbas como en la foto, empleando palillos para fijarlos. Coloca el jamón sobre la tarta con mucho cuidado (la lata sirve de soporte estable sobre la que reposar).

9. Por último, decora tu tortuga con las pintadas de tu elección. Recuerda ser ingenioso pero amenazador al mismo tiempo.

COCINAR...
HAZLO POR
LA FAMILIA

3.ª TEMPORADA

PERRITO *KOSHER* DE SAUL

51% PUREZA

Este grasiento manjar típicamente estadounidense no es tan judío como su nombre parece indicar, pero resulta ideal para sacarte de un apuro: divertido, delicioso... y con el punto justo de picardía.

INGREDIENTES

1 cucharada (15 ml) de azúcar extrafino
60 ml de agua tibia
2 cucharaditas y 1/4 (12 g) de levadura en polvo
350-450 g de harina normal, y un poco más para espolvorear
225 ml de leche tibia
1 cucharada (15 ml) de aceite vegetal; siempre hay una manera de untar a alguien
1 cucharadita (5 ml) de sal
1 huevo mediano, ligeramente batido con un poco de agua
Semillas de sésamo
Un poco de mayonesa y de salsa barbacoa
6-8 salchichas de Frankfurt
Un grado en Ciencias Políticas por la Universidad de Samoa Americana
Guindillas verdes
Kétchup
Pimienta en grano
Mostaza americana
1 cebolla dulce
Pepinillos grandes

DOSIS: 8 PERSONAS

INSTRUCCIONES

1. Vierte el azúcar y el agua tibia en un cuenco pequeño o taza y mezcla hasta que el azúcar se disuelva. Espolvorea la levadura encima y deja que se pose durante diez minutos.

2. Junta tres terceras partes de la harina, la leche, el aceite, la sal y la levadura en un cuenco grande. Bate con cuchara de madera (o con batidora con gancho para amasar) hasta que quede uniforme. Añade el resto de la harina en cucharadas colmadas, hasta que la masa se eleve de los bordes del cuenco. Deposítala sobre una superficie enharinada y amasa durante varios minutos, hasta lograr una consistencia suave y elástica.

3. Vierte la masa en un cuenco embadurnado con aceite. Cúbrela con papel film untado en aceite y deja que crezca una hora o hasta que doble su tamaño.

4. Ha llegado el momento de hacer una pausa. Tómate un zumo y échate la siesta.

5. Cubre una bandeja de horno con papel de hornear. Coloca la masa en una superficie untada con un poco de aceite. Divídela en 6-8 partes iguales, según el tamaño deseado. Haz una pelota con cada pedazo. Dale forma de cilindro a las pelotas, de unos doce centímetros de largo, y aplánalas un poco.

6. Coloca los panecillos en una bandeja de horno, de manera que apenas se toquen los bordes. Tápalos con un paño limpio y déjalos en un lugar cálido durante unos cuarenta y cinco minutos para que vuelvan a crecer hasta alcanzar el doble de su tamaño.

7. En caso de necesitar ayuda con este paso, conozco a alguien que conoce a alguien.

8. Precalienta el horno a 200 °C, a 185 °C si tiene ventilador o en la posición 6 si es de gas. Antes de meterlos en el horno, pinta la parte superior de los panecillos con la mezcla de huevo y espolvorea las semillas de sésamo. Hornea durante veinte minutos o hasta que adquieran un tono dorado.

9. Retíralos del horno para que se enfríen del todo, o cómetelos calientes.

10. Introduce un poco de mayonesa y salsa de barbacoa en dos mangas pasteleras pequeñas de plástico y haz unos agujeritos en los extremos de cada una. Calienta las salchichas y coloca una en cada panecillo. Aplica la mayonesa y la salsa barbacoa sobre cada salchicha como si fueran el pelo y las cejas. Añade un poquito de guindilla para el auricular; pimienta en grano para los ojos; kétchup y pimienta en grano para la boca; mostaza para la camisa; cebolla para el cuello de la camisa; y corbata y zapatos de pepinillo como en la foto.

11. Después, inicia una nueva vida en Nebraska con la posibilidad de un lucrativo *spin-off*.

60

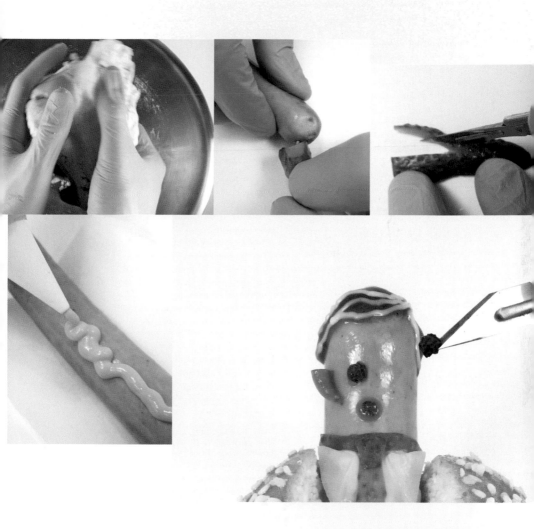

METALENAS

41% PUREZA

¿Meta o magdalenas? ¡Cuesta decidir qué es más adictivo! Ofrece a tus invitados lo mejor de ambos mundos con esta sencilla y divertida receta.

INGREDIENTES

PARA LAS MAGDALENAS:

100 *g* de mantequilla blanda
100 *g* de azúcar extrafino
2 huevos medianos, un poco batidos (nadie ha hecho carrera en este negocio sin batir unos cuantos huevos)
100 *g* de harina con levadura
Colorante alimentario azul en gel
1-2 cucharadas (15-30 ml) de leche

PARA EL GLASEADO DE CREMA:

125 *g* de mantequilla blanda
250 *g* de azúcar glas
1-2 cucharadas (15-30 ml) de leche
Colorante alimentario amarillo en gel

DOSIS: 4 PERSONAS

INSTRUCCIONES

1. Busca una zona adecuada para cocinar: una autocaravana, un superlaboratorio en una lavandería, o una empresa falsa de control de plagas, según lo avanzado de la trama.

2. Precalienta el horno a 180°C, a 165°C si tiene ventilador o en la posición 4 si es de gas. Coloca doce cápsulas de papel en un molde para doce magdalenas.

3. Junta todos los ingredientes, excepto el colorante y la leche, en un cuenco grande y bate con batidora eléctrica o cuchara de madera hasta que la masa quede suave y esponjosa.

4. Añade el colorante azul poco a poco hasta que la mezcla adquiera un tono de tal color oscuro. Añade suficiente leche para que adquiera consistencia líquida.

5. Reparte la mezcla entre las cápsulas de papel.

6. Hornea durante 10-15 minutos, o hasta que las magdalenas crezcan y estén doradas y firmes al tacto. Deja que se enfríen un par de minutos, y coloca las magdalenas en una fuente para que se enfríen totalmente.

7. Para hacer el glaseado de crema: bate la mantequilla en un cuenco grande hasta que se ablande. Añade el azúcar glas poco a poco y bate la mezcla hasta que quede uniforme.

8. Echa el resto del azúcar glas y un poco de leche; añade más si fuera necesario, hasta conseguir una cobertura ligera y esponjosa.

9. Añade el colorante amarillo poco a poco y mezcla bien los ingredientes hasta que quede uniforme.

10. Mete el glaseado con una cuchara en una manga pastelera con boquilla en forma de estrella y aplícalo sobre las magdalenas en espiral.

11. Decora con crujiente de meta azul (véase receta en la página 14) para terminar.

TARTA HEISEN(BATTEN) BURG

82% PUREZA

Dulce como el azúcar por fuera, verde (de envidia) por dentro; un toquecito de química y la receta se transforma. Este postre es capaz de mucho más de lo que parece a simple vista.

INGREDIENTES

350 g de mantequilla, blanda después de pasarse años viviendo en la mediocridad de las afueras

350 g de azúcar extrafino

250 g de harina con levadura

Media cucharadita (3 ml) de levadura

3 huevos medianos (rómpelos, eso los hará más fuertes)

Media cucharadita de extracto de vainilla

50 g de almendra picada

Colorante alimentario verde en gel

200 g de gelatina de grosella espinosa, lima u otra fruta verde

2 paquetes de 500 g de mazapán blanco

Azúcar glas para espolvorear

DOSIS: 4 PERSONAS

INSTRUCCIONES

1. Precalienta el horno a 180°C, a 160°C si tiene ventilador o en la posición 4 si es de gas. Cubre el fondo y las paredes de una bandeja de horno cuadrada de 20 cm con papel para hornear.

2. Vierte todos los ingredientes, menos las almendras y el colorante verde, en un bol para mezclar. Bate con batidora eléctrica hasta que quede uniforme.

3. Aféitate la cabeza para parecer lo más peligroso posible.

4. Divide la mezcla en dos partes. Junta las almendras picadas con una parte de la mezcla, y luego viértela en la bandeja de horno con una cuchara, distribuyéndola por los bordes y alisando la superficie. Hornea durante 25-30 minutos. Deja que se enfríe unos minutos antes de colocarla en una fuente para que se enfríe del todo.

5. Hazlo por tu familia.

6. Lava la bandeja y vuelve a cubrirla con papel para hornear. Añade suficiente colorante para que adquiera un tono verde oscuro y ponlo en el horno igual que antes. Deja que se enfríe. Tu mujer no lo entenderá jamás.

7. Calienta la gelatina en una sartén pequeña hasta que quede líquida y después pásala por un colador. Corta los bordes opuestos del bizcocho con un cuchillo de sierra, y después corta un tercer borde. Recorta la parte superior de la tarta cuanto sea necesario para aplanarla. Con una regla, corta cuatro rebanadas de tarta del mismo grosor y longitud. Recuerda: la violencia es el único idioma que entienden algunos.

8. Nunca te habías sentido tan vivo como en este momento. Repite el proceso de corte y recorte con la tarta verde.

9. Coge dos rebanadas de tarta verde y de tarta sin colorear, y dales la misma forma, disfrutando de su sumisión ante tu mandato. Amasa uno de los bloques de mazapán sobre una superficie espolvoreada con un poco de azúcar glas hasta que tenga el tamaño suficiente para envolver cuatro rebanadas de tarta. Sigue amasando el mazapán hasta que tenga un grosor de 0,5 cm.

10. Pinta el mazapán con gelatina, y luego coloca una rebanada verde y otra de almendra juntas en un extremo del mazapán. Aplica gelatina para pegarlas, y deja una pequeña cantidad de mazapán sin pintar en el extremo. Aplica más gelatina encima de las tartas y une las dos rebanadas restantes encima, alternando los colores como un tablero de ajedrez. Recorta el mazapán para que tenga la misma longitud que las tartas.

11. Retira el mazapán con cuidado y aplícalo sobre la tarta con las manos, delicadamente. Une el borde más largo con una pequeña cantidad de gelatina. Es asombroso lo que se puede conseguir con un poco de presión.

12. Repite el mismo proceso con la segunda tarta.

13. Enciérrate en el coche y grita en una mezcla de éxtasis y delirio al tiempo que el veneno de la debilidad humana abandona tu cuerpo para siempre.

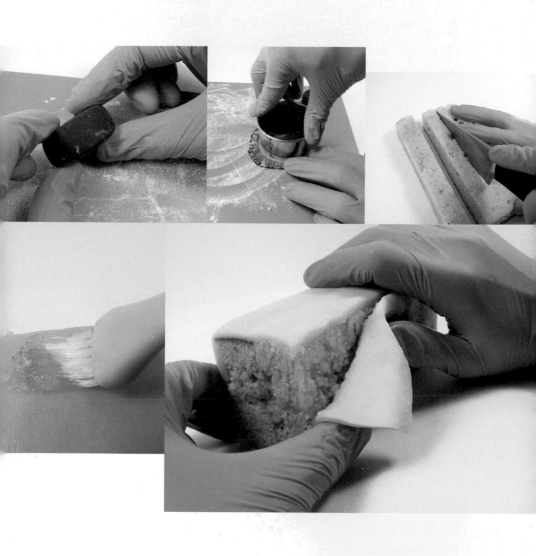

4.ª TEMPORADA

HOMBRECITO DEGOLLADO

38% PUREZA

Una combinación única de dulzura y brutalidad, este injustificado crimen contra la pastelería transmite un mensaje que nadie podrá olvidar.

INGREDIENTES

200 g de harina normal, y un poco más para espolvorear
Media cucharada (7 g) de levadura en polvo
Media cucharadita (2,5 ml) de sal
15 g de azúcar extrafino
1 esbirro involuntario
25 g de mantequilla en trozos pequeños
75 ml de leche tibia
50 ml de agua tibia
1 huevo mediano, ligeramente batido
Aceite vegetal o de girasol, para freír
6 cucharaditas (30 ml) de gelatina de fresa
1 tubo de cobertura de chocolate negro para escribir
Litros y más litros de sangre humana derramada

PARA EL GLASEADO:

125 g de azúcar glas
2-3 cucharadas (30-45 g) de leche
2 cucharaditas (10 ml) de extracto de vainilla
Necesitarás un molde para galletas de jengibre
    y una aguja larga de punto

DOSIS: 3 PERSONAS

INSTRUCCIONES

Ponte ropa de protección. La cosa se va a poner fea.

1. Mezcla la harina, la levadura, la sal y el azúcar extrafino en un cuenco grande y bate bien. Coloca la mantequilla en otro cuenco más pequeño junto con la leche tibia y el agua, y bate hasta que se funda. Vierte la mezcla en el cuenco grande, junto con el huevo, y bate hasta que se forme una masa uniforme: firme, pero suave.

2. Pasa la masa a una superficie levemente espolvoreada con harina y amasa hasta que quede lisa y elástica (unos diez minutos). Coloca la masa en un cuenco engrasado, cúbrelo con papel film untado en aceite y deja reposar en un lugar cálido durante una hora.

3. Ahora, pronuncia uno de los discursos más elocuentes y apasionados de tu vida, asegurándote de demostrar que tu vida es indispensable. ¿Ya está? Pues venga, a seguir cocinando...

4. Vuelve a colocar la masa sobre una superficie enharinada y amasa con suavidad. Extiende la masa con las manos y con un rodillo hasta que quede plana.

5. Recorta dos o tres figuras de hombrecillos con un cuchillo, embadurnando el filo con harina entre uno y otro para que no se pegue, y vuelve a amasar si fuera necesario. Cubre las figuras y deja que crezcan en un lugar cálido durante una media hora.

6. Prepara el glaseado tamizando el azúcar glas en un cuenco mediano. Bate la leche y el extracto de vainilla con suavidad hasta que la textura quede uniforme, añadiendo un poco de leche si fuera necesario. Cubre el glaseado con papel film y reserva.

7. Calienta el aceite en una sartén honda a 160°C. Fríe los hombrecillos con cuidado, de uno en uno, durante varios minutos por cada lado, y dales la vuelta cuando estén dorados. Retira la sartén del fuego, coloca los hombrecillos sobre papel de cocina y deja que se sequen durante un par de minutos. Los próximos pasos te resultarán más sencillos si no les has puesto nombre a tus hombrecillos.

8. Haz un agujero en la parte superior de la cabeza de cada uno con una aguja larga de punto, e introdúcela, por lo menos, hasta la mitad de su cuerpo. Rellena una manga pastelera de boquilla pequeña con gelatina de fresa e introdúcela en cada hombrecillo, como en la foto.

9. Coloca a los hombrecillos en una fuente para que se enfríen y rocíalos con el glaseado. Añade los rasgos faciales con cobertura de chocolate y deja que reposen. Por último, haz un corte en el cuello con un cuchillo afilado y deja que la gelatina rezume, y añade un poco más para conseguir el efecto si fuera necesario. Vuelve a colocar el cuello con cuidado y..., oh, Dios, hay tanta gelatina... Litros y litros de gelatina. Por el amor de Dios, hasta Mike parece turbado.

74

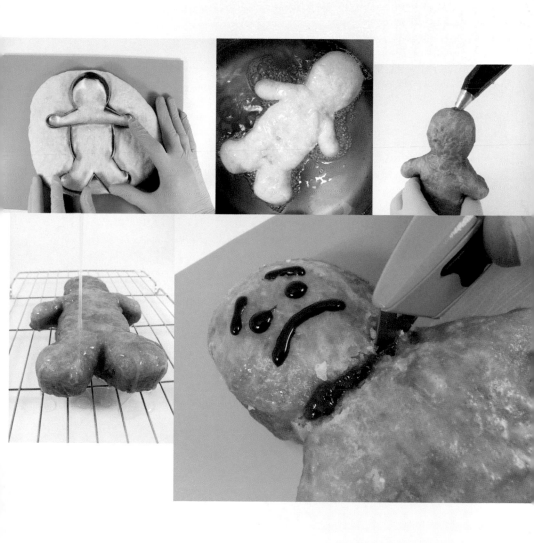

LOS DEDOS LIGEROS DE MARIE

22% PUREZA

De acuerdo. A casi nadie le gusta esta receta, pero sigue siendo importante. Fijación por el color púrpura, un toque de cleptomanía... ¿Hace falta decir algo más? Quizá se trate de un simple entrante, pero, en opinión de algunos, también es muy sabroso.

INGREDIENTES

75 g de harina normal
3 huevos medianos
100 g de azúcar extrafino (¡Son minerales, no piedras!)
Media cucharadita de vinagre de vino blanco
10 almendras peladas
Un poco de azúcar glas para espolvorear
Colorante alimentario púrpura (o una mezcla de azul y rojo)

DOSIS: 5 PERSONAS

INSTRUCCIONES

1. Precalienta el horno a 150°C, a 125°C si tiene ventilador o en la posición 2 si es de gas. Cubre una bandeja de horno con papel de hornear.

2. Tamiza la harina y reserva. Separa las yemas de las claras de los huevos en dos cuencos grandes.

3. Añade la mitad del azúcar extrafino a las yemas y bate hasta que quede una mezcla suave, esponjosa y de color claro.

4. Bate las claras con batidora eléctrica en el segundo cuenco, añade el vinagre y sigue batiendo hasta que adquieran firmeza. Vierte el resto del azúcar al mismo tiempo que bates lentamente hasta que queden a punto de nieve. Es más llevadero que limpiarle el culo a alguien, ¿no?

5. Vierte las yemas en el merengue y mezcla con cuidado hasta que liguen. Añade la harina y sigue batiendo suavemente hasta que se mezcle, procurando no perder el aire durante el proceso.

6. Quédate con los hijos de tu hermana durante una semana.

7. Introduce la mezcla en una manga pastelera grande con boquilla normal de 1,25 cm y moldea los dedos sobre la bandeja de horno preparada a tal efecto.

8. Coloca una almendra en el extremo de cada dedo y espolvorea con azúcar glas.

9. Vuelve a acoger a los niños otra semana.

10. Hornea durante 18-20 minutos, o hasta que adquieran un tono dorado claro y estén firmes al tacto. Deja que se enfríen del todo sobre el papel de hornear.

11. Pinta las uñas de púrpura.

12. Bueno, será mejor que te quedes con los niños, y punto.

¡HUEVOS DÍAS, SEÑOR WHITE!

PALITOS DE FRING

75% PUREZA

Con imaginación y ganas de provocar un desastre, se puede
conquistar hasta el dulce que se creía intocable.
Simplemente, quédate junto al horno, preparado para entrar
en acción cuando suene la campana.

INGREDIENTES

100 g de mantequilla blanda
100 g de azúcar extrafino
2 huevos medianos, ligeramente batidos
100 g de harina con levadura
1-2 cucharaditas (5-10 ml) de esencia de fresa o frambuesa
Colorante alimentario rojo en gel
1-2 cucharadas (15-30 ml) de leche
1 narcotraficante cegado por el orgullo
1 asesino involuntario
1 chivato paralítico

PARA EL GLASEADO DE CREMA Y LA DECORACIÓN:

150 g de mantequilla blanda
250 g de azúcar glas
1-2 cucharadas (15-30 ml) de leche
Colorante alimentario rosa en gel
1 paquete de cobertura *fondant* marrón
Colorante alimentario negro, rosa, blanco y azul
Papel de arroz
Vas a necesitar un molde grande para *cake pops*
(con forma de bolas) y 6 palitos

DOSIS: 6 PERSONAS

INSTRUCCIONES

1. Precalienta el horno a 180 °C, a 165 °C si tiene ventilador o en la posición 4 si es de gas.

2. Junta todos los ingredientes, excepto el colorante y la leche, en un cuenco grande y bate con batidora eléctrica o cuchara de madera hasta que la masa quede suave y esponjosa.

3. Saca una jeringa de aspecto ominoso de una funda elegante.

4. Añade el colorante rojo poco a poco hasta que la mezcla adquiera un tono rojo oscuro. Añade suficiente leche para que tenga consistencia líquida.

5. Reparte la mezcla entre nueve bolas del molde.

6. Hornea durante 10-15 minutos, o hasta que la masa crezca, esté dorada y firme al tacto. Deja que se enfríen un par de minutos, desmolda y coloca las bolas en una fuente para que se enfríen totalmente.

7. Para hacer el glaseado de crema, bate la mantequilla en un cuenco grande hasta que se ablande. Añade el azúcar glas poco a poco y bate la mezcla hasta que quede uniforme.

8. Arrastra una silla por la habitación mientras sueltas un gruñido inhumano y escalofriante.

9. Echa el resto del azúcar glas y un poco de leche; añade más si fuera necesario, hasta conseguir una cobertura ligera y esponjosa.

10. Añade el colorante rosa poco a poco, y mezcla bien los ingredientes hasta que quede uniforme.

11. Necesitarás tres mitades de bola por cada Fring. Corta cada mitad por la cara plana. Moldea las caras redondeadas de cada semicírculo para hacer la parte superior de la cabeza y la mandíbula. Corta una rebanada gruesa del tercer semicírculo y colócala entre las dos formas moldeadas, pegándolas con glaseado como se muestra en la foto. Introduce un palito en cada cabeza desde abajo, con cuidado de que no se salga por arriba. Coloca una pequeña cantidad de glaseado humedecido en la parte inferior para mantener la posición y que no se deslice hacia abajo. Deja que se sequen y reposen.

12. Extiende una fina capa de glaseado de crema sobre la cabeza. Extiende la cobertura marrón sobre una superficie espolvoreada con azúcar glas. Corta una cantidad suficiente para cubrir la cabeza y colócala con las manos, recortando lo que sobre. Añade un poco de glaseado para moldear la barbilla y la nariz, y pégalas con un poco de agua. Deja que se sequen.

13. Esta es tu última oportunidad de mirarme a la cara.

14. Pinta los ojos, el pelo, las gafas, las arrugas y la boca con un pincel de repostería y colorante alimentario. Coloca una corbata de papel de arroz, como en la foto. Por último, corta la mitad de la cabeza con un cuchillo afilado para que se vea el relleno de color rojo.

15. Ja... ¡Aaaaargh! Sal fuera, ajústate la corbata (al gusto) y gira despacio la cabeza para mostrar el delicioso horror que se esconde en el interior.

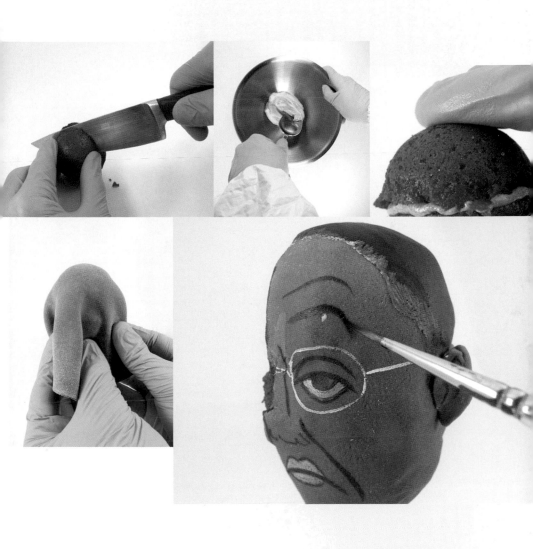

5.ª TEMPORADA

PLATO DE CUMPLEAÑOS DE WALT

25% PUREZA

Aunque cocinar puede ayudarte a mantener a tu familia, también puede distanciaros. Pero, pase lo que pase, esta receta sirve para celebrar cualquier acontecimiento.

INGREDIENTES

Medio coco pelado

Una pequeña cantidad de mantequilla

2 bolsas de golosinas ácidas de fruta en tiras

50 g de glaseado real

1 bote de melocotones (en mitades, separados y pronto enfrentados por la custodia de los niños)

1 bote de nata montada

DOSIS: 2 PERSONAS

INSTRUCCIONES

1. Ralla el coco en tiras y fríelas en una sartén poco profunda con una cucharada de mantequilla hasta que estén doradas.

2. Recorta las golosinas en tiras para formar números, como en la foto. (Si tu mujer no se ofrece a hacerlo, quizá sea el momento de buscar un buen abogado matrimonialista.)

3. Coloca el glaseado en una manga pastelera con boquilla pequeña y traza líneas sobre las golosinas para que parezcan la grasa del beicon.

4. Coloca las mitades de melocotón en el plato y añade la nata para crear la clara de los huevos. Añade el coco como si fueran patatas y las tiras de «beicon», y ya está listo para servir.

5. Disfruta de tu plato en casa, al calor del amor de tu familia, o, por el contrario, solo en un restaurante de carretera, con la tranquilidad de saber que eres el puto amo.

CHAPUZÓN NOCTURNO DE SKYLER

81% PUREZA

Picante como el demonio, con toques profundos y complejos, este tentempié de medianoche es una elegante manera de demostrar que estás pasando un bache y alterar a tus invitados.

INGREDIENTES

PARA LA PISCINA:

Aceite para engrasar
200 g de mezcla de harina de maíz para hacer tacos mexicanos
1 paquete pequeño de queso feta

PARA LA SALSA:

8 guindillas finas o anchas secas
1 taza de zumo de naranja natural
Media taza de tequila dorado
1 diente de ajo picado
Un cuarto de taza de aceite de oliva
Sal y pimienta negra recién molida

DOSIS: 5 PERSONAS

INSTRUCCIONES

1. Precalienta el horno a 200°C, a 185°C si tiene ventilador o en la posición 6 si es de gas. Engrasa con aceite el exterior de un molde de aluminio rectangular pequeño y un papel de hornear.

2. Ya no puedes aguantar sus mentiras. No cuando habla de vosotros como si todo fuera bien. Vamos a darnos un chapuzón.

3. Prepara la mezcla de los tacos con la mitad del paquete siguiendo las instrucciones, añadiendo más agua y amasando bien hasta obtener una masa flexible y moldeable.

4. Reserva una pequeña cantidad de masa en una bolsa de plástico para hacer los tacos de Skyler. Extiende el resto de la masa sobre una superficie espolvoreada de mezcla para tacos. Deja la masa gruesa y cierra todas las grietas que veas. Cubre el molde con la masa, moldeándola con las manos con suavidad y recortando los bordes si fuera necesario. Asegúrate de que no quede ningún agujero, añadiendo parches con masa adicional en caso de necesitarlo y adhiriéndolos con un poco de agua.

5. Hornea durante 20-25 minutos, o hasta que el taco comience a dorarse. Deja que se enfríe un poco antes de desmoldar con cuidado. Coloca la masa en una fuente para que se enfríe del todo.

6. Ooooh. Hola. ¡Fiesta en la piscina!

7. Prepara los tacos de Skyler mientras tanto. Extiende la masa reservada hasta que quede muy fina. Dibuja y recorta una plantilla de papel que colocarás sobre la masa. Recorta las formas como en la foto y colócalas sobre el papel de hornear preparado con anterioridad. Hornea durante 5-10 minutos hasta que estén doradas. Deja que se enfríen.

8. Prepara la salsa calentando las guindillas a la plancha con fuego fuerte, mientras les das la vuelta constantemente hasta que se tuesten un poco, durante un par de minutos. Retira la sartén del fuego. Cuando las guindillas estén lo suficientemente frías para poder manipularlas, córtalas por la mitad y quita las semillas. Corta las guindillas en trozos pequeños y ponlas en la batidora.

9. Añade el zumo de naranja, el tequila, el ajo y el aceite de oliva. Haz un puré con los ingredientes y viértelo en la misma sartén que usaste para tostar las guindillas. Calienta la mezcla hasta que espese un poco, durante unos cinco minutos. Sazona la salsa con sal y pimienta negra recién molida. Deja que se enfríe del todo.

10. No hagas caso de los gritos de alarma de tu hermana y del calvo de su marido, y sigue andando.

11. Para montar el plato, coloca la piscina de taco en una fuente. Recorta escalones de queso feta y colócalos en uno de los extremos de la piscina. Acorta dos de los tacos de Skyler como en la imagen y pégalos a la piscina con un poco de queso. Añade dos Skylers de tamaño completo, como en la foto.

12. Vierte la salsa en la piscina con delicadeza.

13. Una vez que te hayas sumergido, flota tranquilamente durante un rato, pensando en tus cosas y poniendo caras raras.

14. ¿Te parece una situación incómoda? Prueba a interpretar una versión hipersexual del *Cumpleaños feliz* delante de tus compañeros de trabajo.

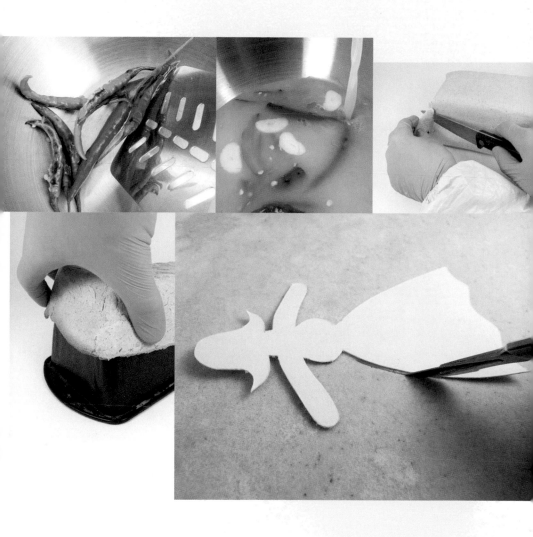

SALVE EL CHEF

TRONCO DE CHOCOLATE DE HUELL

61% PUREZA

Servido en un lecho de irresistible color verde, este gran plato supone una jugosa reinterpretación de un clásico de las fiestas.

INGREDIENTES

1 brazo de gitano de chocolate ya preparado (cuanto más ancho, mejor)

PARA EL GLASEADO DE CREMA:

150 g de mantequilla
200 g de azúcar glas
1 cucharada de leche
50 g de cacao en polvo
Colorante alimentario negro en gel

PARA LA CAZADORA, BRAZOS Y PIERNAS:

50 g de fondant negro
Una pequeña cantidad de fondant marrón
Un poco de azúcar glas para espolvorear
Regaliz en tiras
Palillos

PARA LOS DÓLARES:

2 hojas de papel de arroz comestible
Rotulador comestible verde

DOSIS: 6 PERSONAS

INSTRUCCIONES

1. Corta un tercio del brazo de gitano, para recrear el considerable físico de Huell. Corta otro tercio del pedazo más pequeño en rebanadas horizontales, y el extremo en un ángulo de cuarenta y cinco grados.

2. Prepara el glaseado de crema batiendo la mantequilla en un cuenco hasta que se ablande. Añade el azúcar glas lentamente con un poco de leche, y bate con energía (como Beneke al salir corriendo hacia la puerta). Divide el glaseado en dos partes. Añade el cacao en polvo a una de las partes y mezcla bien. Añade colorante negro al resto del glaseado y mezcla bien.

3. Extiende el glaseado de chocolate sobre una tercera parte del pedazo más grande del brazo de gitano. Coloca encima el pedazo más pequeño, como en la foto, y cubre la superficie con más glaseado de chocolate.

4. Extiende el glaseado negro sobre ambas partes para modelar la cazadora. Extiende la cobertura negra sobre una superficie espolvoreada con azúcar glas y recorta dos solapas de buen tamaño. Coloca las solapas presionando sobre el glaseado negro.

5. Es hora de echarse una siesta.

6. Dibuja los dólares en el papel de arroz antes de cortarlo.

7. Para servir: coloca los dólares sobre la fuente o bandeja. Pon a Huell encima. Corta el regaliz en pedazos y fíjalo sobre el cuerpo con palillos. Añade pedazos más pequeños para los pies, y moldea las manos con *fondant* de color marrón, asegurándote de que parezcan salchichas.

8. Funde el chocolate negro al baño María y traza el contorno de la cazadora con un cuchillo.

9. Encuentra un piso franco y espera ahí indefinidamente.

LOS BARRILES DEL DESIERTO DE WALT

78% PUREZA

También llamado «Tarta +34° 59' 20.00", -106° 36' 52», si has llegado hasta aquí no cabe duda de que tu carrera culinaria ha sido todo un éxito. Pero ten cuidado, porque este tesoro enterrado hará que tus invitados se revuelquen de envidia.

INGREDIENTES

(Apúntalos en un billete de lotería para recordarlos mejor.)

350 g de mantequilla blanda
350 g de azúcar extrafino
6 huevos medianos
300 g de harina con levadura
Unos 40,65 millones de dólares
Esencia de fresa
Esencia de frambuesa
Colorante alimentario rojo en gel
Colorante alimentario rosa en gel
Gelatina de fresa, cereza o frambuesa
Colorante alimentario blanco en gel
1 paquete de bombones de licor en forma de barril. (Para ser más auténtico, usa 7 barriles de 200 litros, pero eso es una cantidad tremenda de alcohol)
Un poco de *fondant* rojo
Un poco de *fondant* verde
Azúcar moreno granulado para espolvorear

DOSIS: MÁS DE 10 PERSONAS

INSTRUCCIONES

1. Precalienta el horno a 175 °C, a 160 °C si tiene ventilador o en la posición 4 si es de gas. Engrasa dos moldes redondos de tarta de 20 cm. Cubre el fondo de uno de ellos con papel de hornear. Cubre el segundo molde con papel de hornear arrugado para darle un fondo irregular a la tarta.

2. Pon la mantequilla y el azúcar extrafino en un cuenco y bate la mezcla en la licuadora unos cinco minutos hasta que quede suave, esponjosa y de color claro.

3. Casca los huevos en una taza o cuenco pequeño, y bátelos un poco con un tenedor.

4. Con la licuadora en funcionamiento, añade el huevo poco a poco a la mezcla de mantequilla y azúcar, batiendo bien antes y después de añadir la mezcla, para que no se corte.

5. Introduce la harina con cuidado con una espátula.

6. Una vez batida, reserva un cuarto de la mezcla en un cuenco. Esta será la parte superior de la tarta. Divide el resto de la mezcla en dos partes y colócalas en dos cuencos distintos. Dale color y sabor a una de las partes con colorante rojo y esencia de fresa, y con colorante rosa y esencia de frambuesa a la otra.

7. Vierte la mitad de la mezcla rosa en el fondo de uno de los moldes, haciendo que la superficie quede irregular. Vierte la mitad de la mezcla roja encima y deja que se mezcle un poco con la mezcla rosa, para que quede un efecto amarmolado de varias capas. Aplica una textura rugosa a la superficie, dejando cavidades y picos.

8. Vierte el resto de las mezclas de colores en el otro molde, y después extiende la mezcla incolora encima, pero esta vez con un acabado liso y uniforme.

9. Hornea durante 30-40 minutos, o hasta que crezca y puedas introducir un cuchillo en el centro y que salga limpio. Deja que se enfríen en el molde unos minutos antes de colocar las tartas en una bandeja para que se enfríen del todo.

10. Une las dos porciones con una capa de gelatina, asegurándote de que las dos caras irregulares queden juntas. Si las tartas han quedado demasiado regulares, crea algunas depresiones y picos con un cuchillo afilado.

11. Ya está listo el escenario para uno de los mejores momentos de la historia de la televisión.

12. Pinta los barriles con colorante alimentario blanco, como en la foto.

13. Practica orificios regulares de 2,5 cm sobre la tarta con un cúter. Retira los trozos cortados e introduce los barriles de chocolate en los agujeros. Si te cuesta moverlos, prueba a hacerlos rodar... ¡Son barriles, idiota!

14. Moldea un cactus verde y piedras rojas con el *fondant* y colócalos encima de la tarta. Espolvorea la superficie con el azúcar granulado.

15. Como alternativa a los barriles de licor, ¿por qué no rellenar los agujeros con otras delicias, como frutas, chocolate, cuñados, etc.?

LA BANDA DEL TÍO JACK

37% PUREZA

¿Quieres «encargarte» de una banda de diez personas en dos minutos? ¡Pues no busques más! La solución está en estas delicias temáticas. (Advertencia: es posible que quieras deshacerte de ellas más tarde, pero de momento son tu mejor opción.)

INGREDIENTES

Un tercio de taza (6 cucharadas) de sirope de maíz o sirope dorado.
  (O como se le llama en las cárceles de seguridad: lubricante)
200 *g* de mantequilla, y un poco más para engrasar
350 *g* de copos de avena. Como suele decir Jack: «No escatimes en copos de avena»
Un puñado de pasas o sultanas
Una pizca de sal
1 paquete pequeño de *fondant* blanco y otro de *fondant* negro
Colorante alimentario negro en gel

DOSIS: 4 PERSONAS

INSTRUCCIONES

1. Mantén la boca cerrada si sabes lo que te conviene.

2. Precalienta el horno a 180°C, a 165°C si tiene ventilador o en la posición 4 si es de gas.

3. Engrasa una bandeja de horno grande con aceite o mantequilla.

4. Pon el sirope y la mantequilla en un cazo grande y calienta la mezcla a fuego lento hasta que se funda. Mezcla bien con una cuchara de madera.

5. Vierte los copos en un cuenco grande y añade la fruta. Échale una pizca de sal y luego la mantequilla y la mezcla de sirope, y bate bien para cubrir los copos. (Ten cuidado de no batir tanto los copos, de manera que resulten imposibles de identificar sin registros dentales.)

6. Vierte la mezcla en la bandeja preparada antes y extiéndela de manera uniforme.

7. Mete la bandeja en el horno precalentado durante 20-25 minutos o hasta que se dore. Emplea ese tiempo leyendo poesía, aprendiendo a tocar la guitarra, etc. Después recorta los chalecos con un cuchillo afilado o cuchilla mientras los pasteles de avena siguen blandos y calientes.

8. Deja que la mezcla se enfríe en el molde.

9. Recorta plantillas de papel para el chaleco, la calavera, la cruz y los logotipos. Extiende la cobertura negra sobre una superficie espolvoreada con azúcar glas y usa la plantilla para hacer los chalecos. Extiende la cobertura blanca y corta las calaveras y otras formas.

10. Pega el *fondant* sobre los pasteles de avena y añade detalles y palabras con colorante negro, con la ayuda de un pincel pequeño.

11. Ahora nadie se atreverá a tocarle las narices a esas galletas.

TAZA DE STEVIA

74% PUREZA

Este refrigerio te ayudará a expandir tu emporio de dulces, pero recuerda: aunque dulce, oscuro y seductor, también acaba siendo malo para tu salud.

INGREDIENTES

Tienes que conseguir todos los elementos de esta lista. ¿Me he explicado con claridad?

PARA LA TAZA:

1 paquete de pasta de azúcar listo para usar
Azúcar glas para espolvorear
Colorante alimentario rojo

PARA LA *MOUSSE*:

300 g de pepitas de chocolate negro, o tabletas bien picadas
3 huevos medianos
60 g de azúcar extrafino
1 cucharada de cacao en polvo
300 ml de nata con un alto contenido en materia grasa. (No olvides comprobar la parte inferior del bote por si hubiera micrófonos)
Vas a necesitar una tacita de té y un palillo

DOSIS: 3 PERSONAS

INSTRUCCIONES

1. Extiende la pasta de azúcar blanca sobre una superficie espolvoreada con azúcar glas. Espolvorea el exterior de la taza con azúcar glas. Cubre la taza con el glaseado y moldéalo con las manos. Recorta los bordes con un cuchillo afilado. No pueden quedar CABOS SUELTOS. Moldea el asa con más glaseado. Deja que la taza y el asa se endurezcan por separado durante toda la noche.

2. Cuando hayan endurecido, pega el asa a la taza con un poco más de pasta de azúcar humedecida con agua. Fíjala con un palillo y deja que se seque. Añade la mancha de pintalabios con colorante rojo y un pincel.

3. Funde el chocolate al baño María con un cuenco resistente al calor. Retira el cuenco del fuego y resérvalo para que se enfríe un poco.

4. Por cierto, ¿has pensado en expandir tu negocio hasta la República Checa?

5. Pon los huevos y el azúcar en un cuenco grande y bátelos con batidora eléctrica durante cinco minutos, o hasta que la mezcla adquiera un color claro, esté espesa y haya duplicado su volumen. Mezcla el chocolate enfriado y el cacao.

6. Bate la nata en otro cuenco hasta que espese (ten cuidado de no pasarte). Usa una cuchara grande de metal para mezclar la nata con el chocolate, intentando que la textura quede tan ligera como sea posible. Mete la mezcla en las tazas de glaseado con una cuchara y refrigera durante al menos una hora.

7. Recorta con tijeras o cúter una plantilla de papel o cartón fino con las letras LRQ, tal como aparece en la foto. Acerca la plantilla a la *mousse* todo lo que puedas y espolvorea un poco de azúcar glas.

8 Toma asiento; seguramente te encuentres un poco regular después de tanto tra... Un momento...

**SÍGUENOS
#BakingBad**

**Twitter: @BakingBad
Instagram: @WalterWheat
Facebook:
www.facebook.com/BakingBad1**

Nota del autor

El que una serie de televisión aparezca y cambie tu vida no es algo que pase todos los días. No me gusta considerarme un «superfan»; evoca la imagen de un treintañero virgen y desesperado en pantalón corto, esperando a que su madre lo recoja de la ComicCon (y yo nunca llevo pantalón corto). Pero, en este caso, acepto esa etiqueta con orgullo. Cuando la serie acabó, hace ya once meses, doce días seis horas y treinta y dos minutos, me quedé desolado (como Skyler arrastrada por la desesperación a las profundidades de la piscina, o como Walter aullando histéricamente bajo los tablones). Pero entonces se me ocurrió una idea brillante: ¿por qué no combinar este gran amor con mi otra pasión (la repostería) para crear el homenaje definitivo a la serie definitiva?

A partir de esta humilde idea, nació Walter Wheat, y con él, *Baking Bad*.

Podrías preguntarte: «¿Qué tiene que ver una de las mejores series de televisión de nuestros días con la repostería?». Sin embargo, el objetivo real de este libro es el contrario: usar la repostería como medio para recordar la serie. Pretende rememorar las referencias culturales que nos ha dejado y (con huevos, harina, azúcar y agua) hacer un comentario al respecto. Parece que la repostería puede ser un lenguaje. De esta manera, el descenso de Skyler al fondo de la piscina (una obra maestra metafórica que sigue la estela del descenso de Walt a los bajos fondos) se convierte en un «chapuzón» muy literal. La transformación de Walt de padre y esposo aburrido a narcotraficante queda reflejada en una tarta que pasa a su vez de la dulzura al espanto con la adición de un sombrero ahora ya célebre. Estos y otros momentos de la serie se han convertido en experiencias culturales conjuntas, de igual modo que los clásicos de la repostería han ido pasando de una generación a la siguiente. Y, cuando estos dos aspectos se unen, dicen cosas muy interesantes la una de la otra.

Por lo menos, espero que los fans como yo encuentren algún placer en estas deliciosas recetas, y que cualquiera de los participantes de la serie que las descubran, disfruten de mi intento por acercar el arte de la repostería al gran arte que nos ha legado su obra.

EL AUTOR, agosto de 2014

NEW MEXICO

LOTTERY
SELECT 3

LOS AUTORES QUIEREN DAR LAS GRACIAS A:

SUMINISTRO: DAVID TRUMPER

**DISTRIBUCIÓN:
ANNA VALENTINE JONES,
EMMA SMITH
Y A TODO EL EQUIPO
DE ORION**

**ABOGADO (CRIMINAL):
CATRIONA DURELL**

Walter Wheat es un profesor de economía doméstica ya
retirado, y uno de los mejores reposteros de la historia
del crimen. Después de que le diagnosticaran una en-
fermedad terminal, descubrió que poseía una habilidad
única para crear magdalenas de gran calidad para el
mercado negro. Casi con total seguridad ha muerto.

Recuerda mi nombre...